PENG

ICH KANN ~~NICHT~~

ZEICHNEN

DUMONT

INHALT

ES IST
GROSSARTIG,
DINGE ZU TUN,
VON DENEN MAN
DACHTE, DASS
MAN SIE
NICHT
KANN!

PENG

DU DENKST, DU KANNST NICHT ZEICHNEN? DANN BIST DU HIER GENAU RICHTIG!

WARUM BEHAUPTEN DAS EIGENTLICH SO VIELE MENSCHEN? ICH WEISS, DASS DAS NICHT STIMMT! ALLES, WAS ES BRAUCHT, IST OFFENHEIT, NEUGIER UND DIE RICHTIGE METHODE.

WAS ICH ERREICHEN MÖCHTE:
* ZEICHNEN SOLL DIR SPASS MACHEN
* DU SOLLST ERFOLGSERLEBNISSE HABEN
* ES GEHT NICHT UM PERFEKTION, SONDERN UM AUSDRUCK UND INDIVIDUALITÄT * SEI GEDULDIG: ES WIRD NICHT IMMER BEIM ERSTEN MAL KLAPPEN!

SO ARBEITEST DU MIT DIESEM BUCH:
* AM BESTEN VON VORNE NACH HINTEN!
* VERSTEHE ALLE SEITEN ALS ANREGUNG UND ANGEBOT. TRAU DICH RUHIG, ES ANDERS ZU MACHEN!
* KOPIERE, KRITZLE & EXPERIMENTIERE
* TESTE UNTERSCHIEDLICHE ZEICHEN- UND MALWERKZEUGE * BESORGE DIR GUTES MATERIAL.

UND JETZT... EINFACH LOSLEGEN!

PENGS
ZEICHEN- UND MALWERKZEUG

1 FARBSTIFTE
(SCHWARZ, GELB, BLAU, ROT)

2 KUGELSCHREIBER
(SCHWARZ)

3 HAARPINSEL NR. 2
(SUPER WÄRE DAZU NR. 6)

4 BLEISTIFT (4B)

5 FINELINER (0,5 MM)

6 WASSERFARBEN
(BESSER NOCH: AQUARELLFARBEN)

7 SPITZER (FÜR
2 GRÖSSEN)

8 RADIERGUMMI

9 ACRYLFARBENTUBE
(WEISS - KLEIN)

10 TUSCHE
(SCHWARZ)

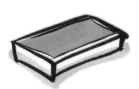

6

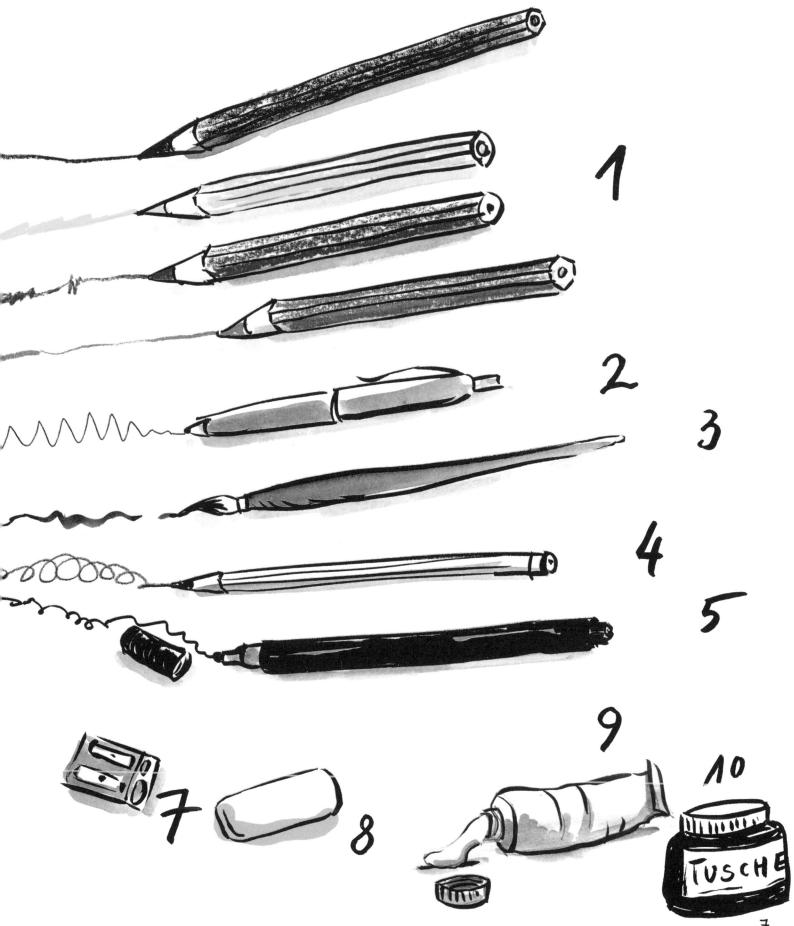

1

2

3

4

5

9

10

7

8

TUSCHE

LOS GEHT'S!

AUFWÄRMEN!
PROBIERE ALLES AUS: STIFTE, FARBEN, PINSEL...

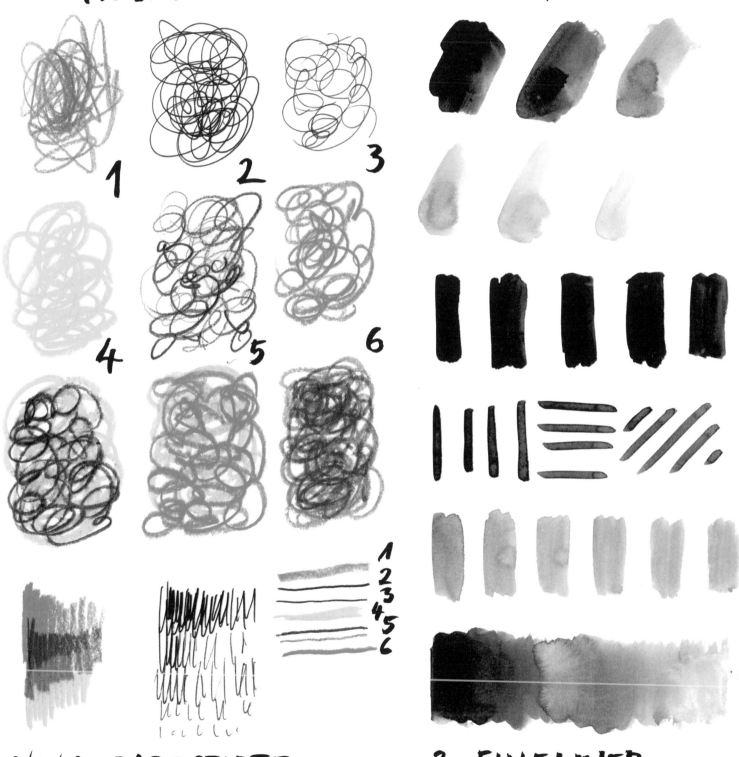

1/4/6 - FARBSTIFTE
3 - KUGELSCHREIBER

2 - FINELINER
5 - BLEISTIFT

PENGs ARBEITSPLATZ
SO FUNKTIONIERT ES GANZ GUT!

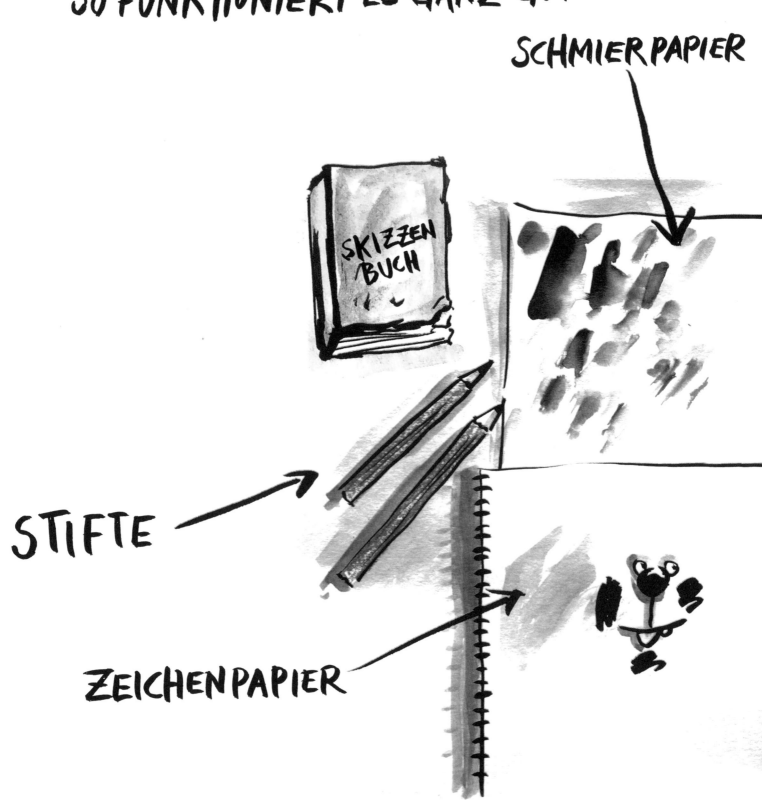

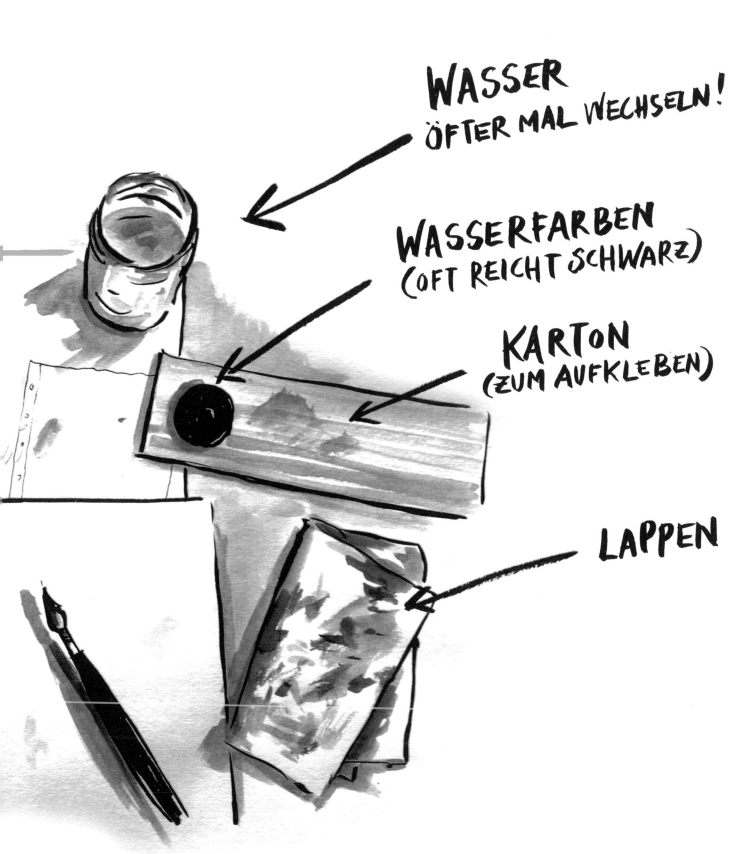

WASSER
ÖFTER MAL WECHSELN!

WASSERFARBEN
(OFT REICHT SCHWARZ)

KARTON
(ZUM AUFKLEBEN)

LAPPEN

KAPITEL I
FIGUREN

TECHNIK #1
SATTE SCHWARZE PINSELSTRICHE

1 PINSEL INS WASSER EINTAUCHEN

2 IM FARBNAPF EINFÄRBEN

3 EINMAL ABSTREIFEN

NACH GEBRAUCH DEN PINSEL GUT AUSWASCHEN

DIE FARBE SOLL NICHT ZU WÄSSRIG & NICHT ZU TROCKEN SEIN! TESTEN!

NIMM DIE STIFTE FÜR UMRISSE, HAARE, HÄNDE…

EINFACHE FIGUREN

VERSUCHE ES SCHRITT FÜR SCHRITT

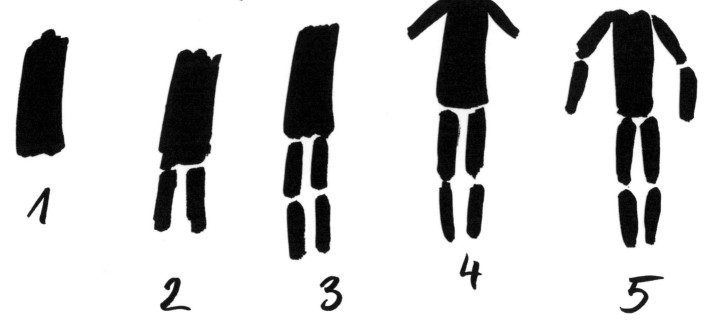

1

2

3

4

5

6

7

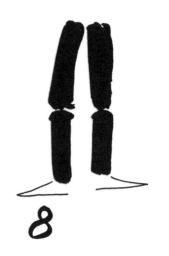

8

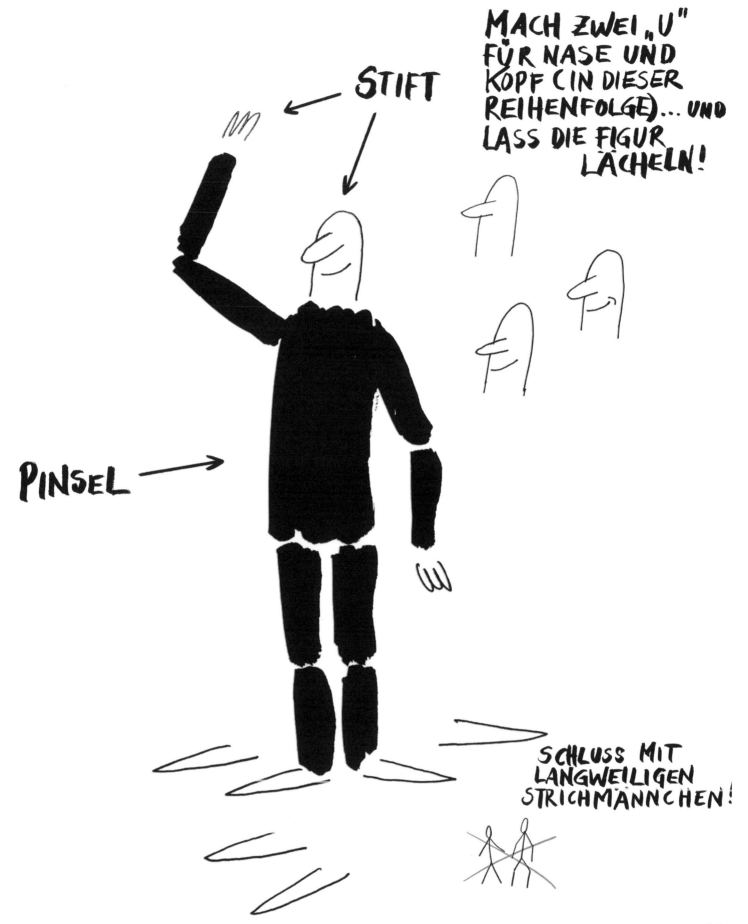

STIFT

MACH ZWEI „U"
FÜR NASE UND
KOPF (IN DIESER
REIHENFOLGE)... UND
LASS DIE FIGUR
LÄCHELN!

PINSEL

SCHLUSS MIT
LANGWEILIGEN
STRICHMÄNNCHEN!

SIMPLE KÖPFE

DIE NASE GIBT DIE BLICKRICHTUNG VOR

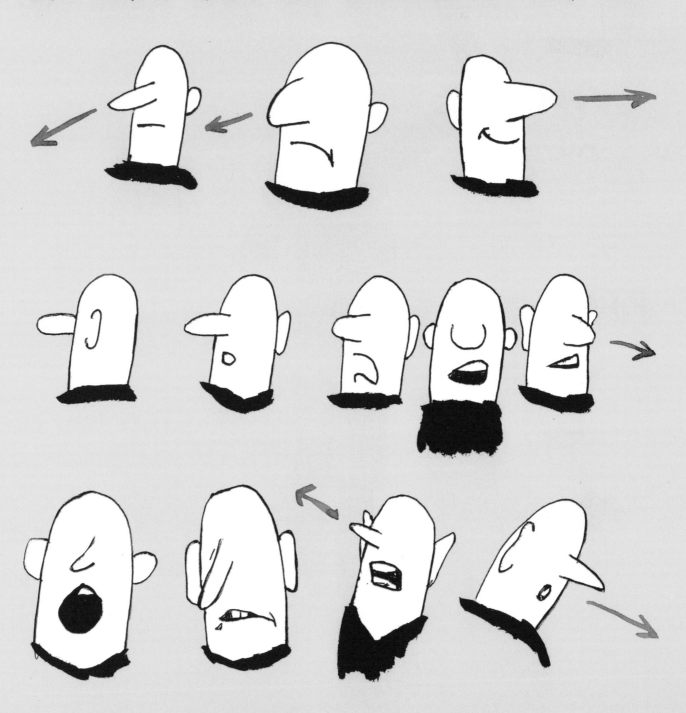

EXPERIMENTIERE MIT VERSCHIEDENEN KOPFFORMEN, NASEN & MÜNDERN!

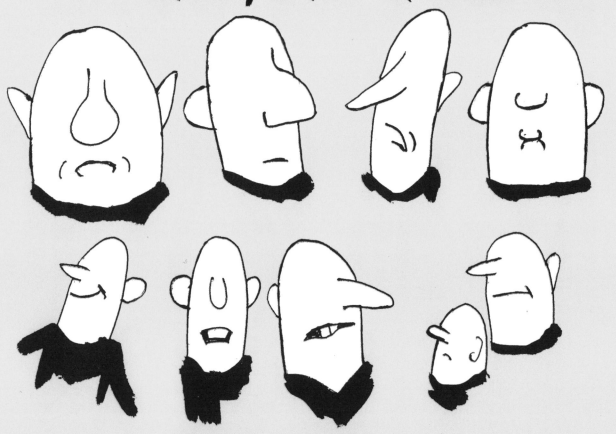

OFFENER MUND MIT ZÄHNEN!

STEHENDE FIGUREN

AM COOLSTEN FUNKTIONIERT ES MIT DEM PINSEL, ABER PROBIERE RUHIG AUCH ANDERE STIFTE AUS!

PINSEL BLEISTIFT FARBSTIFT

ZEHEN NACH OBEN

EINFACHE „V"-FORM FÜR DIE FÜSSE ODER SCHUHE

21

...UND JETZT IM GEHEN

VARIIERE
PINSEL UND STIFT

DIE
GELENKE
SIND WICHTIG →

EIN GEKNICKTES
„V" FÜR DEN
FUSS

EINFACHE
SCHATTEN UND
DIE FIGUR IST AM BODEN

NACH HINTEN KLEINER = RAUMTIEFE

ZEICHNE NOCH MEHR FIGUREN IN UNTERSCHIEDLICHEN HALTUNGEN !

MIT HAAREN & AUGEN
SIMPLEN KÖPFEN LEBEN EINHAUCHEN

STARTE MIT SO EINEM EINFACHEN KOPF

MIXE PINSEL UND STIFT

SCHAU - DIE AUGEN-
BRAUEN VERSTÄRKEN
DEN AUSDRUCK

ES MACHT GROSSEN
SPASS, EINFACHE KÖPFE
IN RICHTIGE TYPEN ZU
VERWANDELN !

25

EMOTIONEN
DURCH DIE POSITION DER AUGENBRAUEN, DIE MUNDFORM, DIE AUGEN UND DIE HÖHE DER SCHULTERN ENTSTEHT AUSDRUCK

WÜTEND

MÜDE

NACHDENKLICH

KEEP IT SIMPLE... VOR ALLEM BEI DEN AUGEN

SKEPTISCH

INTERESSIERT

SCHAU DIR AB, DURCH WELCHE DETAILS
DIE EMOTIONEN ENTSTEHEN!

LAUFEN

BEINE HEBEN,
BEUGEN,
STRECKEN ...

FÜR DEN
HORIZONT GENÜGT
EINE LINIE!
SCHATTEN NICHT
VERGESSEN!

SETZE AUCH RUHIG DEINE STIFTE EIN!

DIESES BILD ERZÄHLT SCHON EINE KLEINE GESCHICHTE

ZEICHNE NACH, DANN ERFINDE EIGENE!

LASS DEINE FIGUREN SALTOS SCHLAGEN!

SPRINGEN
DAS WIRD EIN WELT-REKORD!

NIE VERGESSEN – „IN DEINER ZEICHNUNG IST ALLES MÖGLICH!

UND JETZT: ERST MAL DEHNEN...

ZEICHNEN IST DAS NEUE YOGA !

GYMNASTIK VOLLES ROHR !

ENDLICH SITZEN!

OB AUF DEM STUHL ODER AM BODEN ...
PROBIERE VERSCHIEDENE SITZ-POSITIONEN AUS!

JETZT ZU DEN HÄNDEN

KÖNNEN KOMPLIZIERT SEIN ...DESWEGEN –
EINFACH HALTEN! SO WIE HIER ...

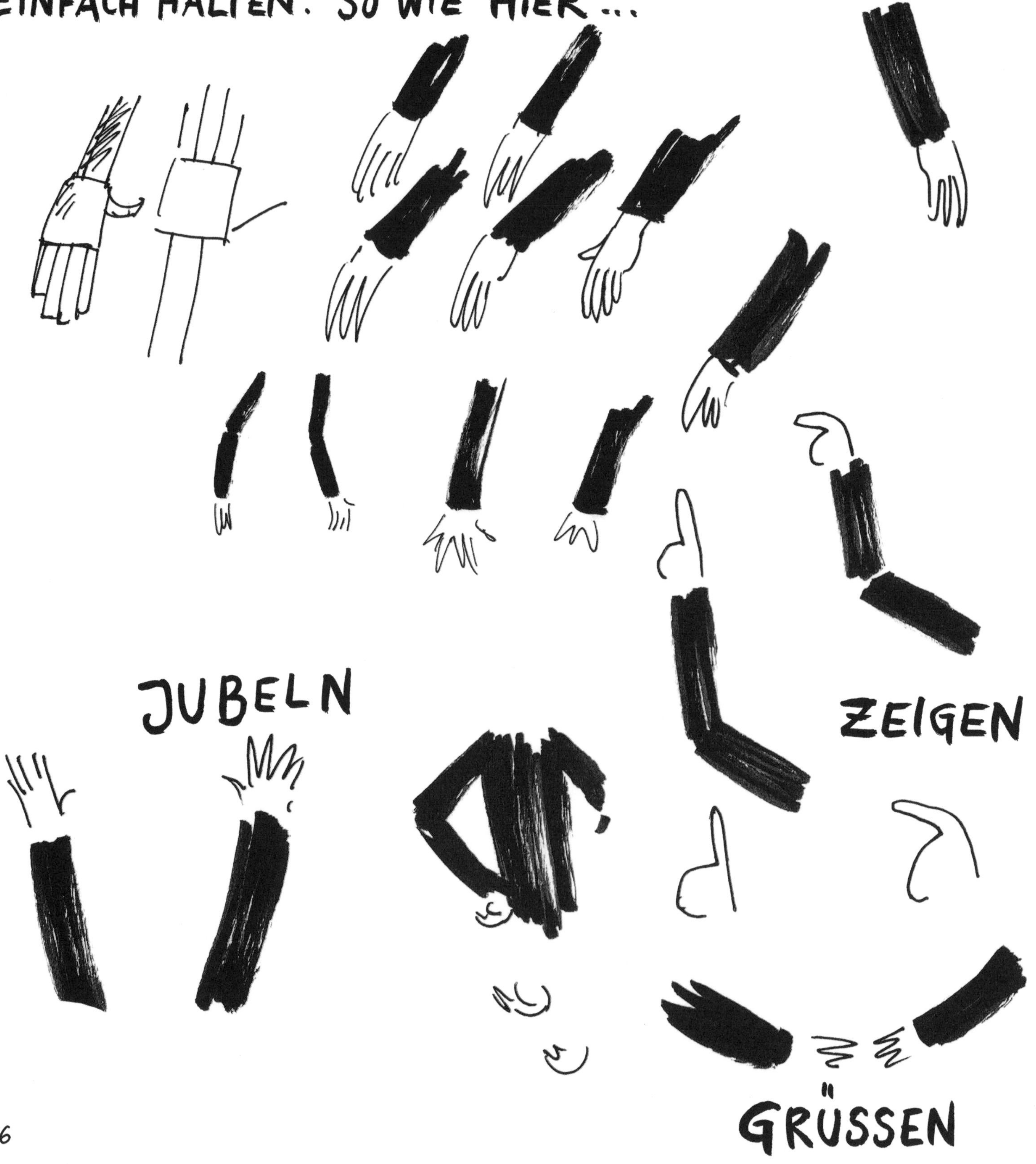

JUBELN

ZEIGEN

GRÜSSEN

UMARMEN

GRIFF ZU VERSCHIEDENEN DINGEN

BRIEF HALTEN

ZEITUNG LESEN

TECHNIK #2
SCHÖNE STRICHE MIT DEM PINSEL

PINSEL IMMER VORHER AUF DEM SCHMIERBLATT TESTEN!

TIPP: MIT DEM KLEINEN FINGER AUFSTÜTZEN

PINSEL AUFRECHT HALTEN

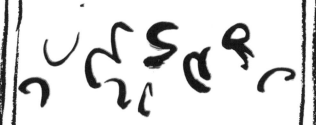

FIGUREN ANZIEHEN

MALE DIE FIGUR IN EINEM GRAU-
TON VOR, DANN KANNST DU DIE
KLEIDUNG PERFEKT DRÜBER-
ZEICHNEN!

EGAL, WENN'S NICHT SOFORT COOL AUSSIEHT! PROBIERE ES WEITER ...

FIGURENPAARE

ZIEMLICH STEIF DIE BEIDEN, ODER?

DA IST SCHON MEHR BEWEGUNG DRIN

VERGLEICHE DIESE BEIDEN DOCH MAL MIT DEN FIGUREN OBEN!

FLÜSTERN

43

NOCH MEHR ZWEISAMKEIT

FARBSTIFT, BLEISTIFT, PINSEL & FINELINER

DIE TRATSCHEN

UND DER REGT SICH AUF

GUTE FREUNDE & BESTE FREUNDE

UND JETZT UNTERHALTEN SIE SICH

SO MACHT MAN EINEN HOLZBODEN

RÄUME & HINTERGRÜNDE

EIGENTLICH REICHT
SCHON EIN STRICH

EIN KLEINER BAUM
AM HORIZONT
BRINGT WEITE

MAN MUSS NICHT
IMMER DIE GANZE
FIGUR ZEICHNEN

GROSS UND KLEIN
ERZEUGT TIEFE

EIN PAAR STRICHE UND
SCHON ERSCHEINEN
HÄUSER IM HINTERGRUND

BEIM SPRINGEN...
WO WÜRDEST DU
DIE LINIE SETZEN?

WARTE!

SO EINE GRAUSKALA IST EINE PERFEKTE „FINGERÜBUNG"

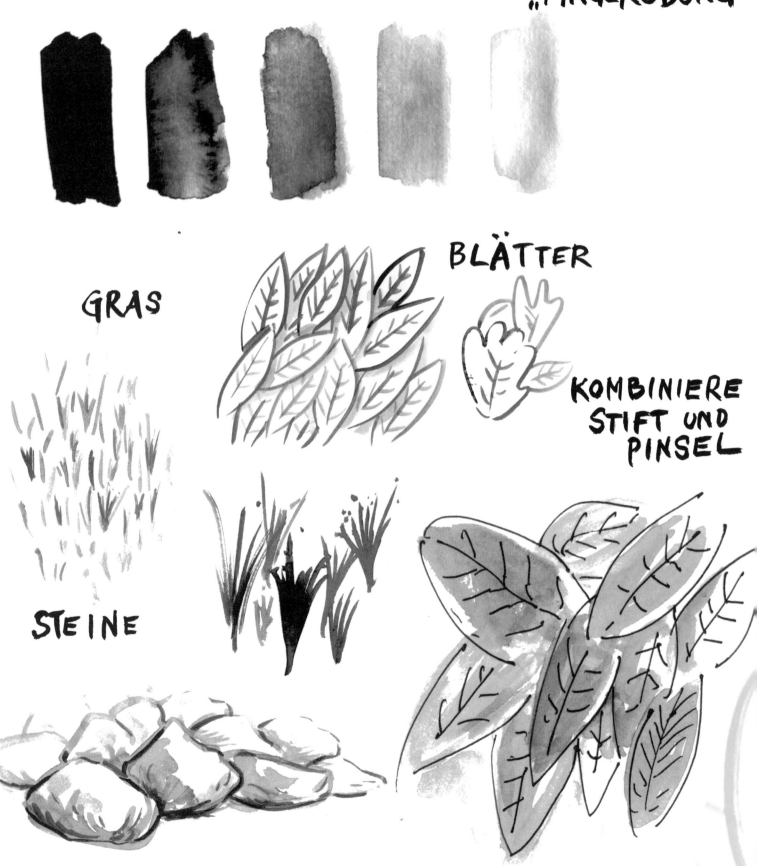

GRAS

BLÄTTER

KOMBINIERE STIFT UND PINSEL

STEINE

LEGE SCHICHT ÜBER SCHICHT... MIT HELLEN TÖNEN BEGINNEN !

DAZWISCHEN IMMER TROCKNEN LASSEN

TECHNIK #3
MEHRSCHICHTIG MIT PINSEL

FUNKTIONIERT RICHTIG GUT

HAARE

KLEIDER MACHEN LEUTE

EINFACHE FIGUREN MIT DEM PINSEL VORMALEN... DANN GEHT'S MIT DEM STIFT WEITER

ODER ZUERST MIT DEM STIFT UND DANN MIT DEM PINSEL

DANACH KANNST DU MUSTER UND FARBEN DRÜBER-ZEICHNEN

EXPERIMENTIERE UND ERFINDE VERSCHIEDENE MUSTER UND STOFFE...

... BIS DIR NICHTS MEHR EINFÄLLT!

KAPITEL I
CHARAKTERE

COOLE KÖPFE MIT DEM PINSEL

EIN DUNKLERER HINTERGRUND UND DER KOPF HEBT SICH AB! IST GANZ EINFACH!

FLOTTE FRISUREN

MIT FARBSTIFT ODER PINSEL? AM BESTEN BEIDES!

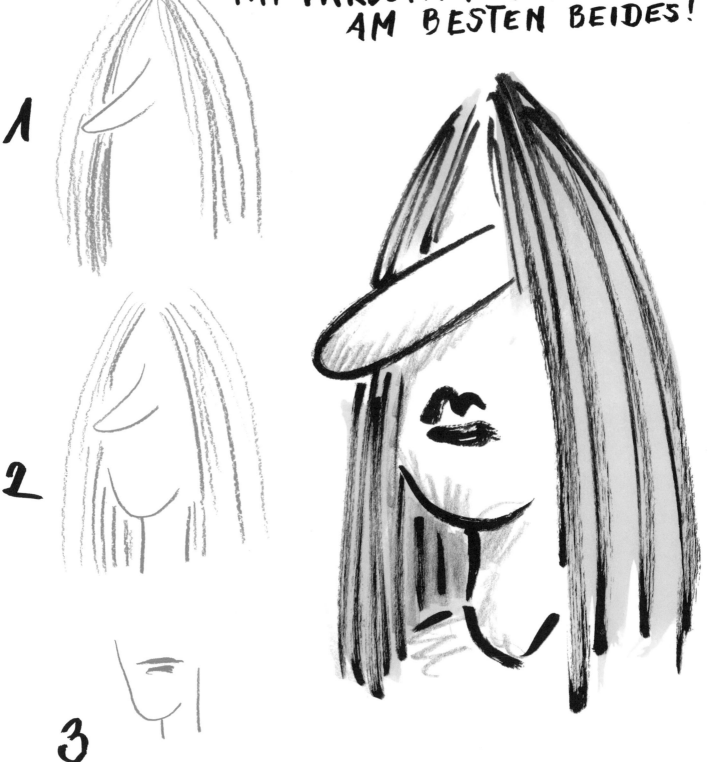

1

2

3

LASS DIR COOLE FRISUREN EINFALLEN

PINSELSTRICHE IN VERSCHIEDENEN GRAUTÖNEN! WIEDER HELL BEGINNEN

FARBAKZENTE SETZEN

PROBIERE BEIDE
KÖPFE MAL IN DIESER
REIHENFOLGE ...

FARBE HAUCHT
IHNEN LEBEN
EIN!

1

2

3

4

5

FARBE DÜNN,
NICHT ZU NASS
UND SCHICHT
FÜR SCHICHT
AUFTRAGEN

TECHNIK #4
AUSMALEN

ZEICHNE KREISE UND MALE AUSSEN

ODER INNEN

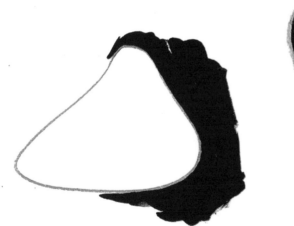

SPITZE DES PINSELS AN DER LINIE ENTLANG-FÜHREN!

PAPIER DREHEN, DAMIT NICHTS VERSCHMIERT!

ZEICHNE EIN ÄHNLICHES ABSTRAKTES BILD UND ÜBE DAS AUSMALEN!

KONTRASTE
DIESE ÜBUNG IST SEHR HILFREICH:

ZEICHNE STEINFORMEN UND LASS MIT PINSEL ODER STIFT DUNKLE UND HELLE ZONEN ENTSTEHEN

DAS FUNKTIONIERT AUCH BEI KÖPFEN WUNDERBAR!

HIER SIEHST DU ZWEI OPTIONEN:

INNEN SCHATTEN SETZEN

ODER WIEDER DEN HINTERGRUND AUSMALEN

FARBSTIFT MIT SCHWARZEM HINTERGRUND...

SCHAUT DRAMATISCH AUS!

FIGURENGRUPPEN

BEGINNE MIT
SKIZZEN...
ZUERST
DIE KÖPFE,
DANN DIE
KÖRPER

ZEICHNE NUN MIT DEM PINSEL DIE AUSSEN-
LINIEN NACH (MIT DEN VORDEREN FIGUREN
ANFANGEN)

SCHICHTWEISE DÜNN AUSMALEN - AUCH ZWISCHEN
DEN FIGUREN: DAS VERBINDET!

SCHAU, WIE EINE FIGUR ALTERT...

20   40   60   80

TIPP: MIT PINSEL AUF KARTON ZEICHNEN...
DANN HINTERGRUND, AUGEN, ZÄHNE... MIT
WEISS AUSMALEN!

KLEINE ÜBUNG: EINE MENSCHENMENGE

SCHNAPP DIR BLEISTIFT UND PINSEL!

ZEICHNUNG VON VORNE NACH HINTEN AUFBAUEN (MIT BLEISTIFT).
NACH HINTEN DIE KÖPFE VERKLEINERN.
SKIZZIERE EHER ZART...
ERST WENN DU DIR SICHER BIST, FESTER.
JETZT KOMMT DER PINSEL ZUM EINSATZ!
KÖPFE AUF DER LINKEN SEITE SCHATTIEREN (LICHT KOMMT VON RECHTS).
ZWISCHENRÄUME SCHICHT-WEISE AUSMALEN.
ABSCHLIESSEND KONTUREN MIT DUNKLEREN PINSEL-STRICHEN BETONEN!

ES IST SO WEIT!

ABSTRAKTES ZEICHNEN!

JETZT KANNST DU MAL SO RICHTIG DAMPF ABLASSEN

69

SCHRÄGE FAMILIE
HIER KOMMEN DEINE ABSTRAKTEN KNÄUEL SCHON ZUM EINSATZ!

EINE FLOTTE PINSELZEICHNUNG!
ÜBERTREIBE HEMMUNGS-
LOS, ZUM BEISPIEL BEI
DEN FRISUREN
...

...ODER DER GRÖSSE

SPÜRST DU DEN SOUND?

ÜBRIGENS EINE DER BELIEBTESTEN WORKSHOP-ÜBUNGEN!

SUCHE DIR EINE JAZZ-NUMMER AUS, DIE RICHTIG GROOVT! KONZENTRIERE DICH AUF EIN INSTRUMENT: DRUMS, PIANO, TROMPETE...

VERSUCHE, DICH HINEINZUFÜHLEN...
ZEICHNE, MALE, KRITZLE
EINEN MUSIKER!
INNERHALB VON MAXIMAL
DREI MINUTEN!
DANN NOCH
EINEN!

LASS DICH VON DER MUSIK TRAGEN...
DENK NICHT ZU VIEL NACH!

TYPEN NACH EINER BESCHREIBUNG ZEICHNEN

MEIN OPA IST SCHRULLIG, KNEIFT SEINE AUGEN GERN ZUSAMMEN, TRÄGT MEIST EINE KAPPE, HAT EINEN ÜPPIGEN SCHNURRBART, BUSCHIGE AUGENBRAUEN, GROSSE OHREN, EINE LANGE NASE, SEIN GESICHT...

...IST SCHMAL UND ER LIEBT SEINEN GESTREIFTEN SCHAL. SEINE ARME SIND DÜNN UND LANG UND SEINE HOSEN 2 NUMMERN ZU GROSS.

MACH VIELE SKIZZEN – BIS DU ZUFRIEDEN BIST! MAN MUSS SICH DA IRGENDWIE HINARBEITEN :)

PROBIERE NOCH DIESE DAME:
MEINE TANTE HAT EINEN DUTT, SCHAUT ZIEMLICH STRENG,
IHRE AUGEN WERDEN DURCH IHRE BRILLE NOCH GRÖSSER.
BEIM ZUHÖREN SPITZT SIE IHRE LIPPEN. SIE SAMMELT
GROSSE OHRCLIPS UND SCHRÄGE BRILLEN... UND ICH
GLAUBE, SIE NASCHT SEHR GERN SÜSSES. DAS SIEHT MAN!

WITZIGES ZEICHENSPIEL

1
ZEICHNE KÖPFE OHNE NASE

2
SUCHE NACH DINGEN, DIE SICH ALS ERSATZ EIGNEN

3
MACH EIN FOTO UND TEILE ES MIT FREUNDEN (3D-EFFEKT) #FUNNY

SUCHE ANDERE KLEINE INSPIRIERENDE DINGE UND INTEGRIERE SIE IN DEINE ZEICHNUNG!

MALE KLECKSE

VIELE!
WIE KÖPFE!
NICHT ZU DUNKEL...
OHNE NACHZUDENKEN

WENN SIE TROCKEN SIND, MACH MIT
WENIGEN STRICHEN KÖPFE DRAUS!

WARUM KRITZELN UND SKIZZIEREN FÜR MICH SO WICHTIG SIND:

- EINE IDEE ZU SKIZZIEREN BEWAHRT SIE DAVOR, IN VERGESSENHEIT ZU GERATEN

- ES KÖNNTE AUCH EIN IMPULS FÜR EINE BILDIDEE SEIN – VIELLEICHT EINE SEHR COOLE!

- ODER EINE BEOBACHTUNG, ANSTELLE EINES FOTOS SCHNELL DAHINGEKRITZELT

- SKIZZEN SIND OFT SPONTANER UND KRAFTVOLLER ALS DIE FERTIGE ZEICHNUNG (NICHT IMMER, ZUM GLÜCK)

- ÜBERALL UND SOFORT KRITZELN... DAS IST COOL!

VORSICHT! KANN SÜCHTIG MACHEN :)

ICH LIEBE MEINE SKIZZENBÜCHER

ICH ZEICHNE, ICH SCHREIBE, ICH MALE... SIE SIND MEINE TAGE-BÜCHER, MEIN ARCHIV, MEIN SAFE FÜR IDEEN!

ICH KANN HINEIN-KRITZELN, OHNE VIEL NACHZUDENKEN, UND ZURÜCKBLÄTTERN, UM AN ALTEN IDEEN WEITERZUARBEITEN!

OHNE MEIN SKIZZENBUCH FAHRE
ICH NIRGENDWO HIN

UND...
ICH HABE MEHR SOLCHER WUNDERBARER
LEERER BÜCHER GESAMMELT, ALS ICH IN MEINEM
GANZEN LEBEN VOLLZEICHNEN KANN!

AUS MEINEN SKIZZENBÜCHERN

KAPITEL III
VÖGEL

FEDERLEICHTE VÖGEL

FANG MIT DEM SCHNABEL AN, DANN FOLGEN KOPF UND AUGEN

1

2

3

4

DER SCHNABEL GIBT DIE RICHTUNG VOR...
WIE BEI DER NASE!

VERSUCHE EINEN
VERLAUF MIT FARBSTIFT -
SO WIRD'S PLASTISCH!

VERSCHIEDENE SCHNÄBEL

VORZEICHNEN MIT FARB-STIFT

KONTRASTE MIT DEM PINSEL

ERFINDE DETAILS (SCHWARZER KOPF, HAARE...) UND ZIEHE DIE UMRISSE MIT EINEM STIFT NACH!

EXPERIMENTIERE MIT KONTRASTEN UND ALLEN MÖGLICHEN ZEICHEN-STIFTEN!

LET'S DANCE! VÖGEL IN BEWEGUNG

EINFACHE GRUNDFORM + SIMPLE BEINE, SCHNÄBEL & FLÜGEL

SCHATTIERUNG UND HINTERGRUND MALEN... MIT PINSEL UND STIFT

KONTRAST IM HINTERGRUND

JETZT MIT DER FORM EINER BIRNE

VORZEICHNEN MIT BLEISTIFT

BLEISTIFT-LINIEN VORSICHTIG AUSRADIEREN

AUFGESCHEUCHTE VÖGEL

JETZT MIT LANGEM HALS, KNIEGELENKEN...

...UND RICHTIGEN FLÜGELN

MIT SCHATTIERUNG INNEN HEBT SICH DER VOGEL VOM HINTERGRUND AB

ODER LASS DEN KÖRPER HELLER
UND MALE DEN BEREICH
AUSSEN DUNKLER

ERFINDE
MEHR
POSEN!

SILHOUETTEN MALEN

PIEP PIEP PIEP
PIEP PIEP
PIEP PIEP PIEP
PIEP

PAP-PER-
LA-PAP

ERST DIE UM-
RISSE ZEICHNEN
UND DANACH
SCHWARZ
AUSMALEN

LASS IN DEN
AUGEN WEISSE
STELLEN
FREI

DÜNN AUF-
GETRAGENE
FARBE
DAZWISCHEN
VERBINDET
DIE TRATSCH-
TANTEN

JETZT DU!

DAS GROSSE VOGELCASTING

VERSCHIEDENE VOGELTYPEN ALS ANREGUNG

DIE GEBEN AUCH
TOLLE POSTKARTEN-
MOTIVE AB (S. 100)

MANCHMAL VERMENSCHLICHT, EINFACH ODER KOMPLIZIERTER

ERFINDE MEHR DAVON!

VOGELPOSTKARTEN

KURZE TREFFENDE WORTE UND ES WIRD
EINE SEHR PERSÖNLICHE KARTE

ZEICHNE ODER MALE EIN COOLES VOGELPOSTER

BIN UNBESIEGBAR!

WÄHLE EINEN PIEPMATZ AUS DEINEN SKIZZEN AUS, MIT DEM DER TEXT KOMIK BEKOMMT!

DIE VOGELKÖNIGIN

1 BEGINNE MIT EINER EINFACHEN STRICHZEICHNUNG

ZEICHNE KEHLLAPPEN, AUGEN & KRONE

2

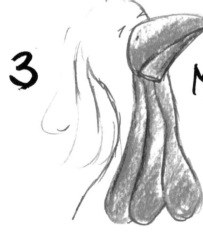

3 MIT ROTEM FARBSTIFT VERLAUFEND AUSMALEN

4

MIT PINSEL BEHUTSAM SCHATTIEREN

ZUSÄTZLICHE FARBE FÜR KRONE UND GEWAND
5

6
DANN FOLGT DER HINTERGRUND (WIE GEWOHNT)

7
ZUM ABSCHLUSS KONTUREN MIT PINSEL-STRICHEN BETONEN

UND NUN: MALE DER KÖNIGIN EINEN KÖNIG!

KAPITEL Ⅳ
KATZEN

COOLE KATZEN

DIESE UNGLAUBLICHEN VIECHER LASSEN SICH GANZ LEICHT UMSETZEN

NASE

 MUND

ZÄHNE

 AUGEN UND SCHNURRBART

OHREN

 KOPF, FLECKEN, HINTERGRUN

UND JETZT:
MIT FARBE,
WENN DU MAGST!
LASS DEINE KATZEN
IN VERSCHIEDENE
RICHTUNGEN SCHAUEN!

KATZEN MIT CHARAKTER

ICH MAG DEINE STREIFEN

2 PINSEL/DUNKEL

1 FARBSTIFT

UND ICH STEH AUF DEINE FLECKEN

3 PINSEL/HELL

ZEICHNE EINE KATZEN-GANG!

TRASHIGE KATZENKÖPFE

ZUFRIEDEN

ÄNGSTLICH

ENTSPANNT

ERSCHROCKEN

SUCHE FLACHE,
RUNDE STEINE
UND MALE KATZEN-
KÖPFE DRAUF

113

JETZT MAL VON KOPF BIS SCHWANZ

KÖRPER, KOPF, SCHWANZ & BEINE - EASY!

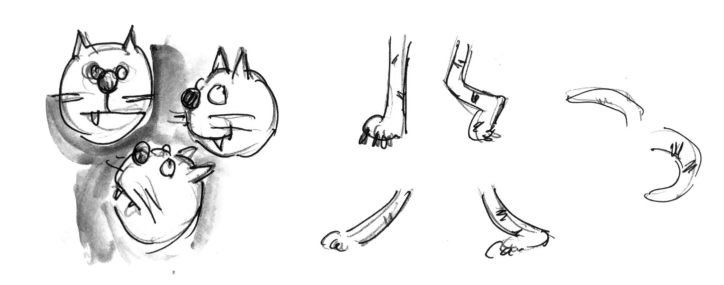

ZEICHNE KOPF UND BEINE IN UNTERSCHIEDLICHEN POSITIONEN

VERSCHIEDENE PERSPEKTIVEN

VON DER SEITE

VON VORNE

SPRINGEND

KATZEN MIT STIL

VERPASSE DEN KATZEN VERSCHIEDENE STYLES - VON ELEGANT BIS LÄSSIG!

INSPIRIERENDE KATZEN-MAL-UND-ZEICHEN-ÜBUNG

A
MALE DEN UMRISS
EINER KATZE
(DU KANNST MIT
BLEISTIFT VOR-
ZEICHNEN)

WENN DIE FARBE
TROCKEN IST, ZEICHNE
DIE KATZE REIN!

2 MALE FLÄCHIG KATZEN-KÖPFE ODER GANZE KÖRPER (NICHT ZU DUNKEL)

3

WERDE DABEI IMMER LOCKERER UND WILDER! WENN DIE FLECKEN TROCKEN SIND, ERGÄNZE MIT EINEM STIFT DETAILS ... BIS KATZEN DRAUS WERDEN!

KATZENFAMILIE

PERFEKT FÜR GLÜCKWUNSCHKARTEN ODER POSTER. FEHLT NUR NOCH EIN COOLER TEXT!

MALEN AUF KARTON

... ANSTATT AUF PAPIER! FUNKTIONIERT BEI KATZEN BESONDERS GUT. NÄCHSTE VER-PACKUNG NICHT MEHR WEGWERFEN!

TIPP: BESORGE DIR KLEINE TUBEN MIT ACRYL-FARBEN IN SCHWARZ UND WEISS!

AUS PENGS SKIZZENBUCH.

ICH MAG DIESE SCHRÄGEN KATZEN-BILDER. ALLES IST ERLAUBT!

125

FAULE MIEZEN

... BIETEN VIEL POTENZIAL FÜR LUSTIGE BILDER

KAUM ZU GLAUBEN, WO DIE ÜBERALL
ENTSPANNT RUMHÄNGEN KÖNNEN!

KAPITEL V
HUNDE

HÜBSCHE HUNDE

VON DER SEITE

1

2

3

VON
VORNE

OHREN NACH OBEN ODER NACH UNTEN

AUTSCH!

HUNDE MIT CHARAKTER

NIEDLICH, SABBERND ODER VERSCHMITZT – LOS GEHT'S!

KONZENTRIERE DICH AUF AUGEN, OHREN & ZUNGE!

STARTE MIT EINFACHEN SKIZZEN

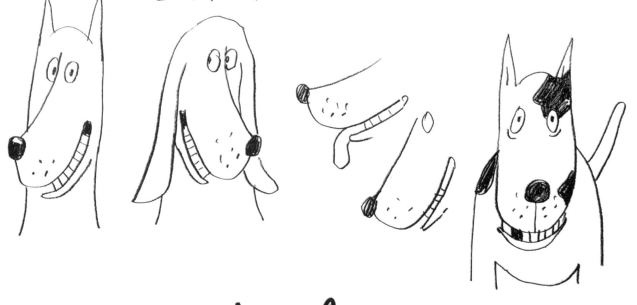

VERGISS NICHT ZU ÜBERTREIBEN ... ALLES IST ERLAUBT!

GROSS, KLEIN, DICK, DÜNN
VON DER SEITE...

...ODER VON VORNE

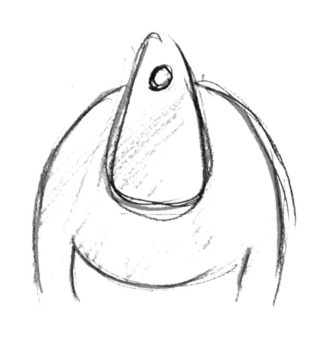

MACH VIELE,
VIELE SKIZZEN -
SIE HELFEN DIR, DEINE
ZEICHNUNG ZU ENTWICKELN

NEUGIERIGE KÖTER

SCHAUEN NACH
VORNE, NACH HINTEN
UND ZUR SEITE

MACH ZUERST SCHNELLE SKIZZEN UND TESTE DANN VERSCHIEDENE WERKZEUGE!

HUNDETRAINING

1 2 3

1 2 3

GROSSE FREUDE!

1 2

HINTER-GRUND

SCHATTE

PROBIEREN GEHT ÜBER STUDIEREN!

BUNTE HUNDE

ZUERST VORMALEN, DANN DRÜBER-ZEICHNEN

IMMER WARTEN, BIS DIE FARBE TROCKEN IST!

TRAGE MIT DEM PINSEL MEHRERE FARBSCHICHTEN AUF

HUNDESHOW

SUCHE IM INTERNET NACH „HUND GEZEICHNET"
UND MACH DANN SCHNELLE SKIZZEN VON DEN
SUCHERGEBNISSEN... NIMM DIR
PRO HUND MAXIMAL
ZWEI MINUTEN ZEIT!

DU KANNST
AUCH FOTOS
ABZEICHNEN

143

ECHTER KERL

GROSS, NICHT SCHMÄCHTIG,
COOL UND MÄCHTIG,
TIEFE STIMME,
STRENGER BLICK,
SPITZES HALSBAND IM GENICK!
SO WOLLTE ER SEIN,
NIE MEHR ALLEIN!

ZEICHNE DEN HUND
ZU DIESEM GEDICHT...
MACH SO VIELE SKIZZEN,
BIS DU DEN ULTIMATIVEN
TYPEN HAST!

KAPITEL VI
NOCH MEHR ANREGUNGEN

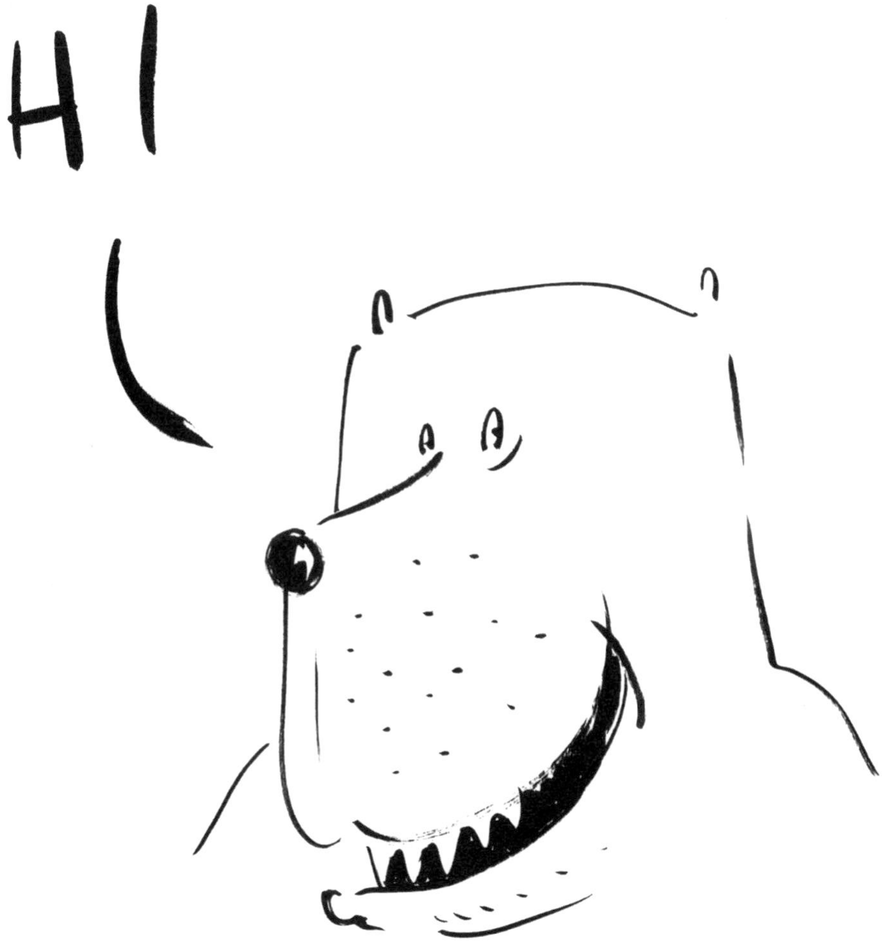
HI

WEITERE TIERE – GIRAFFEN...

WAS MACHT EINE GIRAFFE AUS? KONZENTRIERE
DICH AUF IHRE BESONDEREN MERKMALE:

HÖRNER

OHREN

FLECKEN

HALS

ZU KURZ! :)

ÜBERTREIBE!
SUCHE DIR
BILDER –
ZEICHNE SIE
AB!

EIGENTLICH GANZ EINFACH!

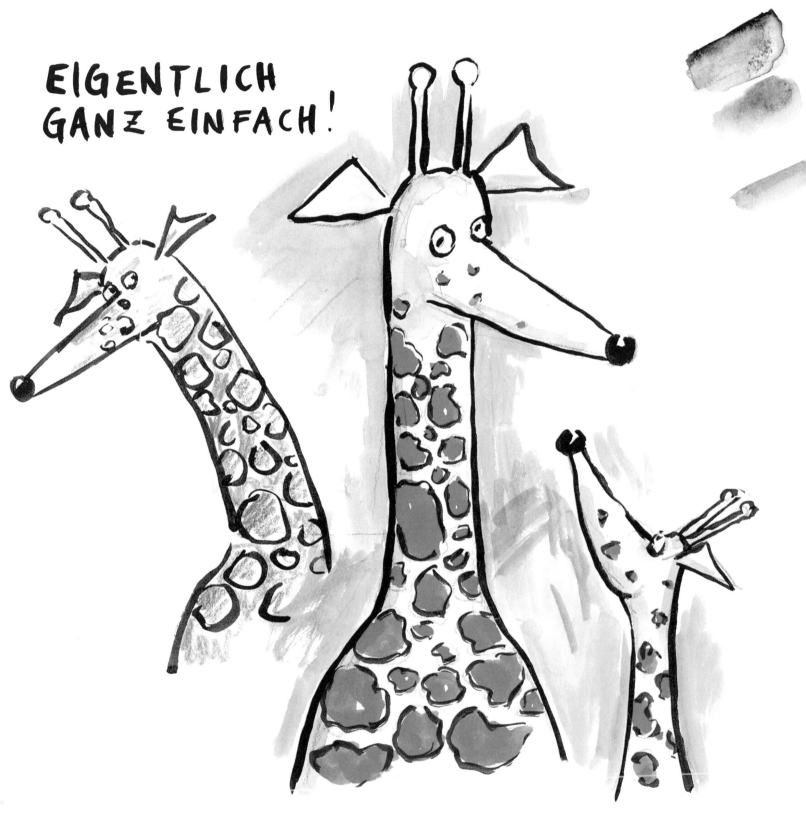

MIT DIESER HERANGEHENSWEISE KANNST DU AUCH JEDES ANDERE TIER ZEICHNEN!

... ODER BÄREN

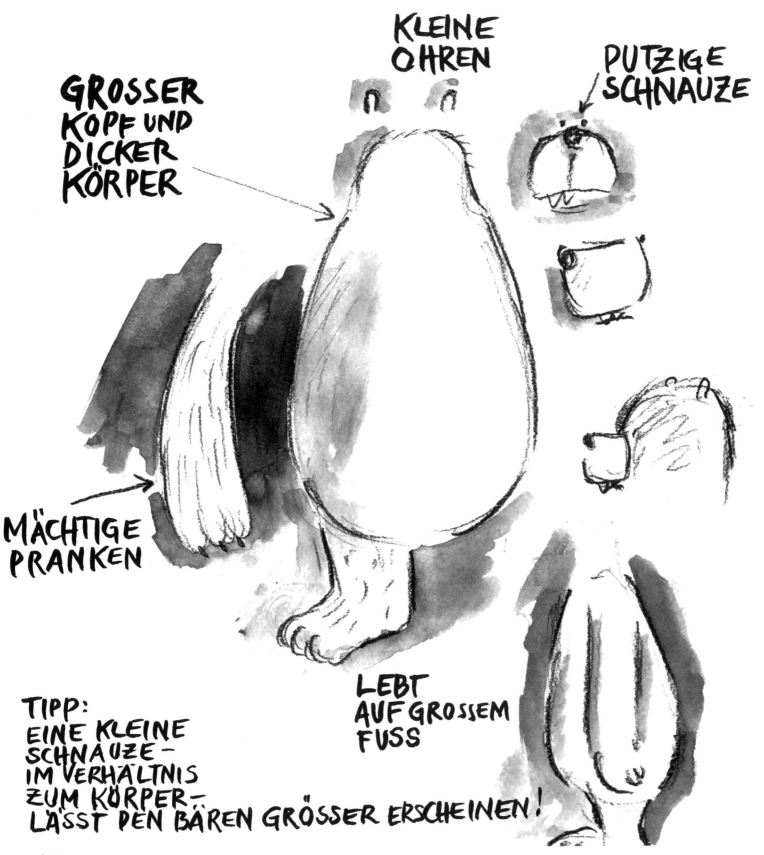

KLEINE OHREN

PUTZIGE SCHNAUZE

GROSSER KOPF UND DICKER KÖRPER

MÄCHTIGE PRANKEN

LEBT AUF GROSSEM FUSS

TIPP:
EINE KLEINE SCHNAUZE — IM VERHÄLTNIS ZUM KÖRPER — LÄSST DEN BÄREN GRÖSSER ERSCHEINEN!

BÄR UND BOXER HABEN EINE ÄHNLICHE STATUR. KÖNNTEN AUCH BRÜDER SEIN! :)

VERLÄNGERE DOCH MAL DIE SCHNAUZE - SIEHT GLEICH GANZ ANDERS AUS

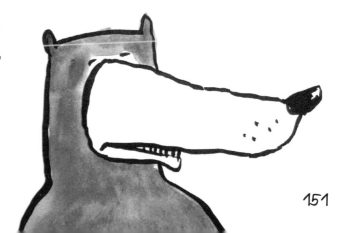

BILDERGESCHICHTEN

SCHON EIN EINZIGES BILD KANN EINE SIMPLE GESCHICHTE ERZÄHLEN. MIT ZWEI ODER DREI BILDERN BIST DU AUF DEM BESTEN WEGE, DEINEN EIGENEN COMIC-STRIP ZU REALISIEREN.

ENTWICKLE EINE GESCHICHTE - IN ZWEI ODER DREI BILDERN!

POST-ITS & POSTKARTEN

SPRECHBLASEN & SCHRIFTZÜGE
YEAH!
WOW
Guten Morgen
HI
COOL
OKAY
THANKS
BIN TRAURIG
STOP
BIN SO AUFGEREGT

VERSUCHE, DEINEN EIGENEN STIL ZU FINDEN!

WIE GEHT'S WEITER?

VOR LANGER ZEIT HABE ICH EINEN SURFKURS GEBUCHT. NACH EINIGEN TAGEN SAGTE DER SURFLEHRER: DAS WICHTIGSTE HABE ICH EUCH GEZEIGT, "JETZT MÜSST IHR ALLEINE ÜBEN, ÜBEN, ÜBEN!

UND DAS RATE ICH DIR AUCH!
VERGISS NIEMALS: ES GEHT NICHT
UM PERFEKTION, SONDERN UM
AUSDRUCK UND INDIVIDUALITÄT.

P.S.: JA, ICH HABE GEÜBT, VON EINEM
GUTEN SURFER BIN ICH ZWAR NOCH WEIT
ENTFERNT, ABER ICH HABE EIN ZIEL
UND IMMER NOCH GROSSEN SPASS!

PENG ARBEITET SEIT VIELEN JAHREN ALS CARTOONIST,
ILLUSTRATOR UND KUNSTVERMITTLER. ES IST EIN UNGLAUBLICHES
GLÜCKSGEFÜHL FÜR IHN, WENN DIE TEILNEHMER*INNEN SEINER
ZEICHENWORKSHOPS IHRE ZWEIFEL ÜBERWINDEN UND AM ENDE
MIT EINEM ERFOLGSERLEBNIS NACH HAUSE GEHEN. ÜBRIGENS,
DIESES BUCH WAR AUCH FÜR PENG EINE BESONDERE HERAUSFORDERUNG,
DENN ER HAT ES KOMPLETT VON HAND GEPINSELT - UNTER
STRENGER BEOBACHTUNG SEINER BEIDEN KATZEN.

ICH DANKE...
...ALLEN KOLLEG*INNEN AUS LONDON - INSBESONDERE ROGER THORP,
AMBER HUSAIN, AMANDA VINNICOMBE, AMAN PHULL, MOHARA GILL,
SAMANTHA WILLIAMS.
...KATHI REIDELSHÖFER, ISABELLA GRÖDL UND JOHANN WIMMER.
...DEM TEAM VOM DUMONT BUCHVERLAG, MIT DEM ICH IN TOLLER
ZUSAMMENARBEIT DIE DEUTSCHE AUSGABE UMSETZEN DURFTE.
MEIN BESONDERER DANK GILT VERA MAAS, SUSANNE PHILIPPI
UND LAURA HEITHER.

FÜR MEINE PRINZESSINNEN
KATRIN, MARLENE UND KAROLINE

DIE ENGLISCHE ORIGINALAUSGABE ERSCHIEN 2021
UNTER DEM TITEL >I CAN DRAW< BEI THAMES & HUDSON LTD. LONDON
I CAN DRAW © 2021 PENG

DRITTE AUFLAGE 2022
© 2021 FÜR DIE DEUTSCHE AUSGABE: DUMONT BUCHVERLAG, KÖLN
ALLE RECHTE VORBEHALTEN

VERLAGSKOORDINATION: VERA MAAS, LEKTORAT: SUSANNE PHILIPPI
SATZ: LAURA HEITHER, LAYOUT UND UMSCHLAG: AMAN PHULL
LITHOGRAFIE: DEXTERS PRE-MEDIA LTD, LONDON
DRUCK UND VERARBEITUNG: DZS GRAFIK D.O.O., LJUBLJANA

PRINTED AND BOUND IN SLOVENIA

ISBN 978-3-8321-9998-2
WWW.DUMONT-BUCHVERLAG.DE